한 꽃잎의 향기가 온 꽃밭을 향기롭게

정민기 시집

시인의 말

이 한 권이
한 그루의 꽃나무로
서 있을 수 있다면

누군가에게
한 편 한 편
꽃비를 내려주고 싶다.

2024년 4월
정민기

차례

시인의 말

물길

물에도 길이 있다
마르지 않은 시멘트 같은
길이 있다
그냥 발로는 걸어 다닐 수 없다
들쑥날쑥 자라나는 생각
지금 이 길을 걸어가고 싶다
오지 않는 사랑처럼 막다른 골목길처럼
막힌 것만 같다
하지만 뻥 뚫린 길
나뭇가지처럼 허공으로 뻗어 나간 길
철썩철썩 타작하는 길
나는 여기에 있고 너는 거기에 있다
가도 가도 세상이 다 푸르기만 해서
빨려 들어갈 것 같은
길이 엎어질 듯 출렁거린다

어느 식당 앞을 지날 때

콧구멍이 벌름거리며
이미 벌어진 것보다
동굴 입구처럼 더 벌어지고 있다
고봉밥처럼 덥수룩한 머리
다행히 아직 백발은 아니다
끓인 찌개 한 냄비가
눈동자에 보글보글 한소끔 더 끓어오른다
귓속을 파고들던 새소리는
금세 사라지고
맛있는 소리가 꿈틀거리고 있다
간혹 바람이 다른 쪽으로 불어
맛있는 냄새를 밀어낸다
나도 모르는 사이
두 다리는 식당 문 앞으로 몸을 옮긴다
맛있는 냄새가 한순간에
안개처럼 온몸을 감싸고 있다

아지랑이

뜨겁게 달궈진 아스팔트 도로에서
자꾸만 어제의 생각이
아른거리고 있다 거미 한 마리 오르내리며
거미줄을 엮듯
몸으로 생각을 엮고 있다
어제의 약속이 오늘도 잊히지 않는다
강아지 꼬리처럼 흔들거리는 생각
그 생각들이 머릿속에서 잡담하고 있다
마음에도 없는 생각이
이어진 끈을 놓지 못한다
하루하루 근근이 살아가는 하루살이처럼
생각이 야금야금 허공을 갉고 있다
고양이의 발톱처럼 날카롭고
울음소리처럼 집요한 생각을 벗고 싶다는
또 다른 생각이 기어 나오고 있다

우리들의 세월이 침몰한 그 후 십 년

진도 팽목항에서 멀리 떨어진 맹골수도 해상
투명한 닻을 내리고
바닷속으로 져 버린 꽃들의 영혼을 기린다

우리들의 세월이 침몰한 그 후 십 년
저 바다의 깊이와 넓이를 알 수 없는 것처럼
우리들의 일그러진 마음을 헤아릴 수 없다

딸의 메시지를 받아본 그날을
도저히 잊지 못한다는 아빠의 눈동자에서
별똥별이 떨어지고 있었다

꽃밭에 모인 나비들이
져 버린 꽃들을 위해 몸소 리본을 만들었다
별빛에 물든 리본을 묶다가
망가진 인형처럼 고개를 떨구었다

유채꽃 섬에 닿지 못한 그들의 영혼을 위해
수평선에 걸린 유채 꽃잎 같은 리본
나비처럼 그리움에 나풀거리고 있다

강산이 한 번 변했으니
이제 다 끝난 것 같더라도 끝나지 않았다

기다리라는 소리에서부터 현재진행형
구명조끼를 입고
선실에서 빠져나가라는 소리가
안개처럼 흘러나오기를 기다리던 아이들

채 사용하지 못한 지폐만이
주머니 속에서 바닷물에 절여지고 있었다

혼저 옵서예!
학수고대하며 기다리던 제주도
놀란 유채꽃 향기가
파도에 넘실넘실 맹골수도로 다가왔다

향기가 이는 카페, 꽃일다

강원특별자치도 강릉시 성산면 망월안길,
향기가 이는 카페, 꽃일다

꽃일다 브런치 하나에
금세 한 끼의 식사가 해결된다
팬지, 메리골드, 목련
꽃청 한 병마다 진한 감동이 담긴 듯 설렌다

은은한 꽃차 한 잔에 적신 입술이
윤슬처럼 반짝거린다
짤막한 시를 띄워
부드럽게 속을 달래고 있다

창밖에
봄으로 도색한 바람이 지나가는데
그 부드러운 몸짓에

꽃잎 휘날린 듯
향기가 유럽풍으로 펄럭거린다

웃는 사람 옆에서 우는 사람

웃는 사람이 웃기를 기다린 듯
그 옆에 서서 우는 사람
귀를 틀어막아 소리를 삼키고 있다
혈관 속을 흐르는
싱그러운 봄기운이 느껴지는데
완전히 무장한 계절은 아마 없을 것이다
목련은 피어나지만
억새처럼 억세지 않아서 머지않아 떨어진다
여기 불어온 봄바람은
툭하면 향기로운 농담을 꺼내 놓는다
꿈속에서 잠자다가 알람을 들은 것 같다
벚나무 가지에 새소리가 향기롭다
나비 한 마리
쪽지처럼 나풀나풀 날아간다
이 꽃이 저 꽃에 주는 향기 젖은 메시지
저녁노을이 물감처럼 번져나간다

봄 아가씨는 어디로 가나

그렇게 소란스럽던 꽃샘추위가
하인처럼 물러가고
봄 아가씨가 남기고 가는 입김이 아른거린다

벌어진 시멘트 틈새마다 민들레가
햇살 스며든 얼굴을 내밀며
정들 것 같을 정도로 환하게 웃는다
꽃이 떨어져도
좀처럼 사라지지 않는 향기를 맡고 있다

바람의 마음은 가볍고 부드러워서
총각인 나로서는 부끄러운 생각이 들어서
어제도 그제도 엊그제도
등대가 서 있는 배경 뒤로 노을이 번져도
나는 아는 척도 하지 않는다

바다처럼 출렁거리는 봄의 중앙이라는 곳
어쩌면 나의 잃어버린 그림자 같은 사람이
몰린 인파 속에서 갇혀 있는 그런 곳

나풀대는 나비는 어느 꽃밭에도 있지 않고
사랑을 잃는 봄의 중앙에 박제되어
흔적만 겨우겨우 남아 있다

어스름한 저녁만 별들을 불러 모아 놓고
오직 등대는 빛 눈물을 흘리게 하고
봄 아가씨는 어디로 가나

봄꽃 나무 그늘을 빠져나가는 꽃잎

봄꽃 나무 그늘을 빠져나가는 꽃잎

거울 앞에서 벗어나는 나인 듯
기분이 향기로워진다

우울한 날에는 빗방울로 조각난
먹구름을 맞추고 있다
겹겹이 쌓인 꽃잎이 흩어진다

초록을 낳아 키우는 봄날,

만둣국처럼 따끈따끈한 꽃비 내리는 소리

오래된 책처럼
사랑의 습관은 너덜너덜해져 있다
속수무책으로 떠나가는 봄바람

나머지 날들을 묵묵히 기다릴 것이다

바깥은 개고

속에서 속절없이 비가 내린다

황사

가장의 무게를 여자가 대신 짊어진 듯
머리를 풀어 헤치고
머나먼 길을 마다하지 않는 당찬 눈망울로
스멀스멀 국경을 넘어오고 있다

지는 꽃잎 속에
열매 맺히길 기다리는 것처럼
길디긴 하루가 질기다

봄바람이 아침부터 쓰다듬는 꽃잎
황사를 뒤집어쓰고
뿜어내는 향기 거친 숨소리 같다

꽃밭에서는 꽃들이 나비를 날리고
심상치 않은 누런 모래 먼지에
세상이 잔뜩 움츠리고 있다

쌍계사 계곡

쌍계사 계곡처럼
나의 마음 수심 깊다

지리산 하동 계곡
물소리 자비롭다

발 담가
찌든 때 없이
깨끗하게 정수한다

사랑의 나무가 바람에 내미는 꽃배

빗방울이 손가락 끝에 방울방울 맺혔다가
한순간에 뚝, 떨어지듯
사랑의 나무가 바람에 내미는 꽃배
둥실둥실
떨림의 간격을 조금씩 조금씩 벌려가며
천천히 출항한다

꽃등처럼 환한 공중에 파동이 퍼져 나가고
꽃잎과 꽃잎 사이에 있는
협곡은 눈물로 폭포를 쏟아붓고 있다
빛나는 루비처럼
聖스러운 부활의 성례식이 끝나가는
어느 예배당 앞으로
향기로운 꽃배가 징검다리처럼 띄엄띄엄
흘러 흘러 저만치 떠간다

하늘색 꿈 가득 머금고 있다가
스프레이처럼 뿌려대는 봄까치꽃 앙증맞다
사랑, 그 두 글자의 이름으로
마음속에 피어난 꽃

그 꽃으로 꽃배를 만들어
봄바람을 맞으며
당신과 뱃놀이라도 하고 싶기도 한데,
허허
그저 웃음으로 구름 한 장
넘기고 맙니다

한 꽃잎의 향기가 온 꽃밭을 향기롭게

한 꽃잎의 향기가 온 꽃밭을 향기롭게

우리가 지금까지 또 앞으로도
얼마 동안
채소 같은 싱싱한 봄을 노래해 왔고
또 노래해 오려나

나비들은 서로 옥신각신 나풀거린다
사소하게 들려온 새의 울음소리는
짓궂게 자꾸만 향기를 밀어내고 있다

구름 커튼이 드리워진 하늘에는
햇살이 틈새마다 비집고 들어온다

오랫동안 마르고 닳도록
불어온 바람은 봄과 하나가 된다
녹음이 짙어갈수록
고요한 싸움이 천천히 드러난다

산의 울창한 생각 속에

슬며시 피어나는 산벚꽃들이
수줍은 얼굴로
바람의 움직임에 그네를 타고 있다

한 꽃잎의 향기가 온 꽃밭을 향기롭게

우당의 길, 고흥의 꿈이 보은까지

거금도 평지 마을에서 태어나
구한말 시대를 장악한 무역의 신
우당 선영홍
그는 갑부로서 참봉이었다

소작인들을 헤아려
넘기기 힘든 보릿고개에
굶는 이가 없도록 해

어려운 사람들을 보면
추운 겨울 양말 벗고 개울에 발 담그듯
도움에 도움을 이어간다

우당에게는 한 가지 꿈이 있었으니
그것은 어쩌면 부자들이라면 다들 꿈꿀
구례 운조루나
경주 최부자댁 같은 가문이 깃들일 명당

어느날 밤,
아주 기이한 꿈을 꾸게 되면서

재산과
딸린 식솔이 모기떼 같아 100여 간의
커다란 집을 짓게 되었고

충청북도 보은군 장안면 개안길
국가 민속 문화재 우당 고택이라 하니
보이지 않는 선행의 강이
전통 한옥 주위를 흐르고 또 흐른다

목발 짚은 사람

나무로 만든 다리가
겨드랑이에 끼어 걸어가고 있다
또각또각
귀에 들어오는 말발굽 소리
가까이 말은 보이지 않고
목발 짚은 사람이 걸어가고 있다
어디선가 구둣발 소리
또각또각
걸어와서 귓속을 파고든다
봄바람이 꽃잎 떨어뜨리는 듯
한 걸음씩 걸어가고 있다

박달나무 한 그루 같은

박달나무 한 그루 같은 그 사람 보고 싶어
형편도 상관 않고 이래저래 생각하는 길
자세히 바라보지 않아도 매력적인 미인상

산이라는 늘 푸른 강줄기

산이 아침에 흘려보낸 새들이
저녁에 흘러 들어오고 있다
부리로 노을 보따리 쪼아 흩트려 놓고
아무 일 없었다는 듯
능청스럽게 흘러 들어오고 있다
마음의 문 열어 놓고 기다리던 산은
여전히 푸르디푸르기만 한데
머뭇거리다 끝내 놓치고 말았던 사랑
구름처럼 떠서 어디로 흘러가나
종이가 없어 나비 날개에 끄적거리는
봄바람의 입김이 포근하게 느껴진다
꽃가루는 여기저기 흩어지고
흘러 들어간 새의 울음소리가 빠져나온다
봄비가 내리면 빗속을 거닐다가
나도 모르게 꽃잎 속 향기를 세어본다
산이라는 늘 푸른 강줄기에서
새들이 흘러나오는 소리가 들려온다

쥐

한 마리의 그녀,
밤마다 잠자는 내 머리맡에 앉아
심장을 야금야금 갉아댄다
사랑이라는 전염병을 옮기는 바람에
자꾸만 두근거리고 있다
번식력이 강해 꼬리를 잡고 또 잡고
고무줄처럼 잡고 매번 늘려도
오늘도 쏟아지듯 어디선가 달려 나온다
껌이라도 씹는 것처럼
그녀의 찍찍거리는 소리에
온 신경이 곤두선다
입처럼 벌어진 구멍마다
그녀가 출입구로 사용하고 있다

목련 대가리

하루 종일 시큰둥한 봄바람에
목련 대가리 꺾어진다
오늘은 오랜만에 닭백숙을 먹으려나
군침이 한없이 흘러가고 있다
저놈의 닭 울음소리 새벽잠을 깨우니
사전투표 첫날에 일찍 투표하고 온다
봄바람의 여정은 어디로 불어 가나
호수 같은 와온 바다는 거울처럼 맑은데
참새들은 아이들처럼 와자지껄 떠든다
목련 대가리 여기저기 널브러진 하루
애인이 없어, 그래서 사랑도 모르고 살아온
지난날이 정처 없이 흘러만 가는 걸까
구름처럼 두둥실 떠내려가는 마음
또다시 오늘은 나무를 심는 식목일
눈부신 한식날은 기약 없는 시간만 간다
읽다 만 나비 한 권 펼쳐 읽어야겠다
닭백숙 한 그릇 다 먹고 나니
몸 잃은 닭 뼈가 빈둥거리고 있다

어느 봄의 나날

비가 물러간 지 며칠 지나고
꽃잎 스며든 햇살 징그럽게 내려온다
비상하는 나비의 날갯짓 속에
상실감을 느낀 봄이 납작해진다
커튼처럼 그늘을 늘어뜨리고 앉아 있는 그녀,
머리카락이 펄럭거리고 있다
날아가는 새들의 고도는 구름에 닿을 듯
갈수록 높아져 가고
꽃들처럼 피고 지는 가여운 인생이라도
살아 보는 재미가 있는 것이다
한참 동안 꽃을 보다가
가죽 재킷을 입은 그녀를 바라보니
봄은 봄인가 보다
나비의 환승역에서 향기가 흘러나오고
온몸에 녹아내리는 사랑을 빼입은
남자가 걸어오고 있다
구름의 이마를 문지르는 새들이 울음소리를
씨앗처럼 뿌리며 날아간다

사랑은 방심하는 순간 쳐들어온다

사랑은 방심하는 순간 쳐들어온다
목련꽃 두 송이
봉긋한 가슴으로 안으려고 달려오고 있다
봄바람은 꽃향기로 나를 결박하여
너에게 질질 끌고 가려고 한다
짖지 않고 보채지 않는 사랑이더라도
제대로 된 한 문장을 꽃피우고 싶다
적극적으로 찰떡처럼 달라붙지는 않은데
끝없이 아지랑이가 되어
기억 속에 아른거리는 사랑스러운 얼굴
울지 못하고 살아가는 남자라는 사람
이 꽃에서 저 꽃으로
옮겨 다니는 나비는 되지 말자
너는 개나리를 연주하는 봄바람 같다
흘려 쓴 글씨가 밤하늘에 별처럼 빛나면
낡고 오래된 마음을 버릴 수 있을까
서녘을 향해 노을을 말리는 동안
마음마저도 물기 없이 말리고 싶기는 한데
거침없는 내성적인 성격에
입을 다물고 콧소리로 사랑 노래 부른다

바다보다 낮은 땅, 라인강 하구 풍차 마을

둑으로 바다를 막고 안쪽 바닷물을
퍼내고 또 퍼내서 이룬 바다보다 낮은 땅
독일을 거쳐 흐르던
라인강이 바다로 흘러드는 하구이다
드넓게 펼쳐진 삼각주를
풍차 거인이 내려다보는 그 발 앞에
와인 잔을 전시한 듯한 튤립이 피어 있다
어느 소녀에게 불러주지 못한 노래를
입속에 가득 넣은 소년이 저만치 걸어간다
영원히 무너지지 않는 둑을 위하여,
우리 영원한 불멸의 사랑을 위해서라도
마음 밭을 일구어 가자, 어서 일구어 나가자
저기, 바람에 흔들리는 튤립을 보아라
갈라진 사랑 사이로 바닷물이 들어온다
두려워하지 말고 맞서 둑으로 막아라
몸은 조금이나마 기울어지더라도
마음은 오뚝이처럼 다시 일어설 수 있다
구름 커튼을 떼어 내자 눈부신 하루
여기, 먼 길 마다하지 않고 걸어온 사람
튤립에 와인 한 잔 따라 주는 봄바람

구김살 없이 포근할 정도로 웃고 있다

정남진 장흥 토요시장 한우프라자

전라남도 장흥군 장흥읍 토요시장1길,
정남진 장흥 토요시장의 한우프라자에는
한우와 키조개
그리고 표고버섯이 삼각관계처럼 만나
상추 한 잎에 합방이 무르익어 가고 있다

육질이 아주 좋기로 소문난 장흥 한우
키조개와 표고버섯이 구이가 되는 줄 모르고
서로 좋아서 찰싹 달라붙어 있다
한 걸음씩 널브러진 꽃잎 따라 걸으면
아무리 마음이 사치스러워도
삼합에 잠시나마 여유를 부리고 싶은 것이다

산책하는 동안 꽃잎의 입가에 나비 맺히듯
장흥 한우프라자에서 스멀스멀 기어 나오는
한우삼합 굽는 냄새에 자꾸만 군침이 돈다
이 길이 꽃길이 아니면 무슨 길이겠는가
오늘도 설렌 마음은 일교차가 유난히 크다

금낭화가 피었다고 작약이 올라왔습니다

예쁘고 깜찍한 금낭화가 피었다고
아침 일찍
작약이 케이티엑스를 타고 올라왔습니다
꽃이 피었다고 꽃이 다 올라오다니요
이건 분명히 사람의 탈을 쓴 것 같습니다
뽕나무 잎으로 가슴을 둘러싼 여자
무슨 보물이라도 되는 듯
주위의 시선을 의식해 사뿐사뿐 걸어갑니다
기억은 뭉게뭉게 흘러가고 있습니다
서럽다고 울기만 하면 말이 되겠습니까?
향기를 울컥, 뱉어내는 나그네 같은 꽃
무엇을 먹어야 할지, 무엇을 싸야 할지,
어디 고민하는 사람이 있겠습니까?
밥을 먹으면 되고, 똥을 싸면 되겠지요
취객의 입김 같은 아지랑이가 올라옵니다
구름 벤치에 앉은 빗방울은 언제 내려올까요
어쩌다가 덩그러니 혼자 남은 세상
밥그릇도 이런 텅 빈 밥그릇이 또 없겠지요
제가 피어 기다리고 있습니다
그대여, 지금 여기로 올라오세요

내 머리가 덥수룩하게 무성해졌다

내 머리가 덥수룩하게 무성해졌다
날개 달린 것들은 모두 머리 위에서
처음과 나중도 모르게 날아다닌다
양파의 계절에는 대낮에도 맵디맵다
밤마다 수많은 별을 띄우고
그 별을 잡으려고 허우적거렸다
못다 한 사랑은 이듬해 봄에 하기로 한다
허구한 날 손에서 볼펜이 피어난다
꽃가루 묻은 나비가 튀겨질 무렵
구름을 입산하던 해가 하산하고 있다
낯짝이 없는 신발이 뛰어오르고
골짜기에서 방귀 뀌는 소리 들린다
강가에서 울면 눈물이 바다로 흘러갈까
밤에 시를 쓸 때마다 너는 반짝거린다
꽉 잠그지 않은 새벽녘
새어 나오는 닭 울음소리를 잠가 놓는다
구름의 두께를 보면 슬픔이 두껍다
너의 마음을 자르고 그 밑동에 앉아서
하염없이 흐르는 강물로 노래를 부른다
산벚나무가 있는 자리마다 환하다

내가 기다리다 간 근처를 맴돌던 바람
나뭇가지에서 꽃잎의 향기를 긷고 있다

하늘 아래 첫사랑

오래전 먹어보았던 음식처럼
잊을 만하면 생각나는 첫사랑이 있는가
아침마다 들려오는 참새의 노랫소리
어쩌면 머리맡에서
꽃들 사이로 불어 다니는 봄바람처럼
이마를 쓰다듬으며 불러 주는 노래
사랑해도 罪가 될 수 없는 사랑이 있다면
나는 온종일 호박처럼 인상을 구기며
볼품없이 쭈글쭈글 늙어갈 것이다
한 끼의 식사가 안 된다면
차 한 잔이라도 마주 앉을 수 있을까
혼자서 속으로만 끙끙 앓다가
결국 꽃나무처럼 향기 젖은 똥 싸는
그런 사랑이라도 겁 없이 하고 싶은 것이다
기다림의 끝이 막다른 골목이라면
흔들리는 한 송이 민들레로
시멘트 틈새에 비집고 앉아 웃고 있겠다
자, 그러니 너도 떠나갈 듯 웃어라

서녘 화원에 노을이 피어 있다

꽃잎에 놓인 나비를 읽다가
눈길 돌려 쳐다본 먼 산
서녘 화원에 노을이 피어 있다
젓갈 냄새 맡고 싶은 가을이 그립다
봄을 떨어뜨리며 우는 나무
그릇을 비우고 살아온 지난날이
문득 구름처럼 두둥실 생각난 오후
가로수의 간격마다 녹음이 진하다
봄날은 이제 어디론가 가고 있다
앞뜰에 서 있는 돌배나무에 꽃이 핀다
꿈속에서 그대가 저민 내 가슴이 아리다
오래된 비포장길에 마음 덜컹거린다
겨울 동안의 일을 참회하려는 듯
다소 부드러운 입김을 내뱉는 바람
밤의 정적 속에서 별이 울고 있다
오랜 시간이 흘러 꽃들이 술렁거렸다

여순 들길에 핀 그리움의 쑥부쟁이

여순 들길에 핀 그리움의 쑥부쟁이를
시월 십구 일에 보면 왠지 부끄러워진다
인내를 모르고 살아왔기에
그 인내를 보고 나도 모르게 고개를 숙인다
계절이 일으킨 반란을 진압하는 과정에서
애꿎은 쑥부쟁이가 피어 있다가
처참하게 짓밟히고 노을빛에 물들었다

여수와 순천에 주둔하고 있던
계절과 계절 사이에 피어 있는 쑥부쟁이
방귀 뀌는 듯한 소리와 함께
곳곳에 널브러진
한 맺힌 잎새마다 불그스름해져 날아갔다

계절의 손에 끌려 나가 엎드려져
돌아오지 못한 쑥부쟁이를
밤새워 기다리던 흔적 같은 향기가 난다
이웃 동네 심부름 간
앳된 쑥부쟁이마저 돌아오지 않는
기다림의 들길 끝은 가련해진다

인생의 노래

인생이라는 학교에 종이 울리면
부끄러움 없이 우린 떠나가야 하네
어디로 가야 할지, 가야만 할지
헤매듯 철썩거리는 바다여
쓸쓸히 수평선으로 지는 노을을 안으렴
언덕길을 힘겹게 오르는 사람들의
기억 속에 흐르는 꽃향기의 고향
사랑을 속삭이는 실핏줄 같은 강물아
늘 푸른 나무처럼 강인한 사람이여
따스한 손길 느껴지는 저 햇살에
녹음 짙어가고 하나뿐인 인생이여
침묵을 억지로 삼키는 가여운 세월 속
기다림은 정처 없이 흘러가고 있네
어느 카페 창가에 앉아 커피 한 잔의
여유를 즐기는 사람들 눈에 빛이 서려
이렇게 또 하루가 지나가고 있다네
희미한 추억의 외침 같은 절망도
우릴 비껴가지 않아 서글퍼지는 날
조용히 책 한 권 읽기도 괜히 미안해지네
입가에 잔뜩 묻힌 웃음기 사라지고

그늘이 드리워진 해 질 녘의 바람 소리
변명이라도 뭉게구름처럼 늘어놓네

도자기 체험 공방, 산 아래 도예

전라남도 고흥군 도화면 봉동역터길,
도자기 체험 공방, 산 아래 도예

흙을 빚어 만드는 정성 어린 손길로
도자기에 새기는 이름,
꿈틀거리는 지렁이 같은 사랑인가요

줄지어 선 도자기처럼
구름 띄엄띄엄 떠서 흘러가는 하늘 아래
도자기를 빚어 만든다

700년 전 침몰한
신안 해저 난파선에서 발굴한
당나라 궁녀의 마음이 한 편의 시로 담긴
낙엽 무늬 백자 접시

꽃으로 향수를 진하게 뿌린 봄이
강물에 떠내려 보내려는 듯한 접시를
나 또한 빚어 만들 수 있을지

달에서 빛이 내려왔어요

어둠을 틈타 달에서 빛이 내려왔어요
바닥에 구멍이 난 달은
곧 서녘으로 침몰하고 말았어요
당연하다는 듯 어둠이 물러가는 이른 아침
참새가 음표를 걸어 놓고 있어요
가까운 동네에서는 확성기로 떠들어요
다들 어디로 떠났을까요?
텅 빈 구름만 애처로이 떠 있네요
그쪽도 노을이 양탄자처럼 펼쳐져 있나요
벤치에 앉아 책을 읽는 소녀의
머리 위로 꽃비가 내려 향기에 젖어요
아주 잠깐 사랑을 꺼내 추억을 생각해요
밑동만 남은 식당에서 주물럭을 먹고
이별하기로 손가락 걸어 서로 약속했어요
하늘이 잔뜩 찡그리더니 울다 말아요
그대의 가슴 한쪽으로 날아가서 박힌 새
울고 싶지 않아서 눈물을 꾹 참았어요

안개 속에서

보자기에 싸인 보따리처럼
안개 속에
나무가 되어 우두커니 서 있었다
보이지 않는 동물의
꼬리 같은 무지개를 잡고 늘어지는 듯한 삶
텅 빈 머리 같은 첫사랑을 향하고 있다
때론 투명한 눈물도 어떠한 색이 있을까
구름 위를 걷는 듯한 그녀의 노래
한 치 앞도 보이지 않았다
좁쌀만 한 참새들은 오늘 아침에도
미완성의 시를 한참 동안 지저귀다 날아갔다
아무 꽃도 향기를 흘려보내지 않은 그곳,
내 마음속에 떠 있는 그대처럼
잔잔한 호수에 날아간 모자 같은 섬
안개는 또다시 무슨 수작을 부리고 싶을까
앙상한 가지 그 가지마다
도화선처럼 꽃들이 타들어 가고 있었다
안개는 여전히 나를 감싸고

돌산도 갓 꽃 피는 날

돌산대교를 건넜습니다
그 사람 마음처럼
푸른 다리 밑은 출렁거렸습니다
갓김치 맛보러 가기 전
돌산대교 준공 기념탑에 뜬금없이 묵념하고
거북이 한 마리처럼
돌산공원 한 바퀴를 엉금엉금 걸었습니다
카페보니또에서 커피 한 잔 마시는데
갓 꽃이 피었다는 소리가
자꾸만 귓가에 머뭇거렸습니다
갓 꽃 닮은 나비 떼가
갓 피어난 꽃에 앉아 향기를 홀짝거립니다
그냥 횟집에 가서 아무 회나 먹을까요
하루해는 금세 저물어 가는데
돌산 해양 낚시공원에서
그 사람 같은
물고기를 낚아 올리고 싶습니다
여수시립 돌산 도서관에는
여전히 수많은 나비가 펄럭거리겠지요
갓 꽃 환하게 켜져 있습니다

피뢰침을 맞는 새 한 마리

벌한테 침을 맞던 새 한 마리가
기어이 피뢰침을 맞고 있다
별일 없는 눈빛으로 이따금 지루한 표정
꽃밭에 버려진 단지 속에
꽃이 피어 넋 나간 듯 웃고만 있다
작정하고 쏟아지는 햇살 탓에
한 걸음씩 걸어가다가 쓰러지는 척
기우뚱거린다 공원에 버려진 비둘기가
떨어진 빵 조각을 마구마구 쪼고 있다
순식간에 날이 어두워지자
피뢰침 앞에 고개를 숙이고 있던
가로등이 번쩍 무엇인가 기억난 것이다
벌침은 효과가 없다고 야단법석을 떨더니
피뢰침은 한번 맞아 봐도 좋다고
호들갑을 떨다가 노을 속으로 날아간다
한 접시의 바다에 배가 놓여 있다

순천 마늘 통닭의 원조, 풍미 통닭

전라남도 순천시 성남뒷길,
순천 마늘 통닭의 원조, 풍미 통닭

닭털이라도 떨어져 있을 것 같고
닭 발자국이라도 나뭇잎처럼
찍혀 있을 것 같은 그 길을 걷다 보면
닭 한 마리 통째로 튀겨지는 소리
맛있게 들려올 것만 같아서
군침이 입안을 자꾸만 돌아다닌다

맵디매운 마늘을 넣어
매콤했던 지난날 문득 기억나는 마늘 통닭
한 마리 뜯다 보면
금세 구름처럼 뭉게뭉게 사라진다
그 아쉬움은
한동안 별처럼 반짝거렸다

양념 닭똥집을 먹는 동안
텅 빈 제비집을 생각하기도 했다
제비집도

양념을 칠하면 어떨까, 하고

오늘은 잊고 내일을 기억하기로 합시다

오늘은 오늘이고 내일은 내일입니다
우주의 행성들은 트랙을 달리며
농구공처럼 투서를 던질 것 같습니다
나무의 그림자를 밟으며 호시절을
간간이 떠 있는 구름처럼 생각한다고
다 먹지 않은 메시지를 남겼답니다
봄은 나비를 옆구리에 끼고
공원 벤치를 찾아다니고 있는데
나뭇가지에 앉으라고 새들이 불러댑니다
꽃밭에 오지 않는 사람이 그리워서
향기가 외출할 준비를 단단히 하고 있습니다
춘곤증에 어느새 깜빡 졸았다고 합니다
그 어느 새는 어디로 슬피 울며 날아갔나요
무기력한 나무가 오랫동안 서 있습니다
수평선에 물고기가 잡히길 바라고 바랍니다
나의 높이에서는 그대를 바라볼 수 없어서
한숨을 내쉬는 동안 이슬이 맺힙니다
별이 싼 똥은 한밤을 빠져나온 연료일까요
개나리로 플루트를 불어대는 봄바람은
또 어딘가로 서서히 불어 가고 있습니다

마음에 밀봉된 사랑은 언제쯤 자유로울까요
오늘은 잊고 내일을 기억하기로 합시다

풍림상사에서 오뚝이처럼 일어선 오뚜기

1969년 풍림상사로 창립하고 나서 1996년
지금의 오뚜기로
상호를 새롭게 바꾼 간편 조리 식품의 원조

서울특별시 강남구 영동대로,
풍림상사에서 오뚝이처럼 일어선 오뚜기
번거로운 카레를 3분 만에 끓여
밥 위에 올려 비벼 먹는다
1981년에 나온 국내 첫 즉석요리라니

순하디순하게 생겨 맛도 순한 진라면 순한 맛
과자처럼 부숴 먹어도 좋은 스낵면
안 그래도 열나는 마당에 더 열나게 열라면
혼자 밥하기 귀찮을 때 간편한 오뚜기밥
김치와 먹으면 기가 막히게 맛있는 김치라면
사발로 달려와서 짖는 듯한 육개장 사발면

의정부식 부대찌개 한 봉지나
청주식 돼지김치짜글이 한 봉지를 끓이면
밖으로 나간 입맛이 돌아온다

오늘은 간단하게 오뚝이 어때?
오뚝이 아니죠!
오뚜기 맞습니다!

곡성 섬진강 기차마을에서의 추억

오래전 곡성 섬진강 기차마을에 갔었다
폐역 곡성역에서 폐역 가정역 구간 기찻길을
증기기관차의 기적 소리와 함께 달렸었다
삶은 달걀과 시원한 사이다는
바늘 가는 데 실 가는 것처럼 따라다녔다
입안에서 부서지는 삶은 달걀에
시원한 사이다가 촉촉이 스며들었는데
마치 바늘귀에 실이 꿰어지는 것과 닮았었다
증기기관차 기적 소리처럼
사랑하는 연인 사이가 울다 간 적이 있을까
섬진강 도깨비마을에 도깨비가 모여서
가시 돋친 방망이를 두드리고 있는 것 같았다
그 여자의 초롱초롱한 눈가에는
섬진강의 물줄기가 흐르고 있기라도 하듯
서녘 하늘가에 때 이른 동백이 피려고 했었다

비바람이 몰아치는 새벽을 깨워서

비바람이 몰아치는 새벽을 깨워서
함께 세수하고 나란히 밥을 먹고
지천으로 널린 봄의 어린싹을 뜯어
아린 사랑에 붙여 놓으며
나의 고결함을 새삼스럽게 보여주었다
비는 내리고 바람은 잠시 주춤하고
마당을 쓸어 주는 수많은 빗자루 가운데
너라는 빗자루에 가슴 울렁거리고 있다
비에 젖은 나비를 건너는 향기가 자라고
한참 동안 형광등을 밝히는 꽃들 아래
소등한 꽃잎이 땅바닥에 널브러져 있다
밤새 창가에 서성거리다 간 별빛이
나의 잠을 모조리 데리고 간 것 같은데
누군가 걸어가고 그 길을 내가 걷고 있다
꽃이 꽃에 기대어 향기를 내뱉는 순간
그 잠의 끝은 이미 차갑게 식은 밥이다
터미널 식당 후미진 창가의 의자에 안겨
떠나간 사람을 떠먹어도 미련은 없다
너라는 선물이 있어서 아주 행복했었는데
흐르는 마음 가에 조약돌만 던지고 있다

봄비여, 그렇게 애써서 쓰지 말아라
어차피 지워지는 사랑인데, 그까짓 거
나 혼자 건너가기도 불안한 출렁다리
서로 마음속에 꽃밭이나 가꾸어 나가자
봄비 온다고 사랑에 빗장을 걸 수 있니

봄비 오는 날

잘 저민 회 한 접시 내오자 바쁘게도
젓가락 오르내려 금시에 바닥나네
봄비에 축축한 마음 행여라도 비울까

구슬픈 봄비 내려 마음도 슬퍼져서
먼 산만 바라보다 저녁을 맞이하네
노을에 빗물 걸려서 주렁주렁 열린 듯

벌교 해방촌 숙박을 찾아서

나 또한 해방된 민족이기에
벌교 해방촌 숙박을 찾아 나서는 길

도로명 주소나 번지
어느 것 하나라도 멀리 던져놓고
태백산맥 문학 거리 중심부에 있다는
벌교 해방촌 숙박을 찾아
한량처럼 떠돌아다니고 있다
봄비는 처량한 내 뒤가 걱정되어
추적추적 내려오다 멈춘다

조용한 단독 주택 숙박이라고 하던데
나보다 더 조용한 벌교는
역시 문학의 고장이라서 그런가
읍내 하늘에는
쓰다 만 엽서 같은 구름이 흩어졌다

제대로 된
안부조차 전해 주지 못했는데
동백꽃은 하나둘씩

금세 해처럼 지고 있었다
그리울 거라는 변명이라도 늘어놓고
떨어진 꽃잎처럼 발걸음을 옮긴다

마음에 시를 품은 시인의 길
벌교의 숨겨진 보석인가
맑은 새소리 깊은 명상에 잠기고 있다

심야 시간

별의 눈물이 흐드러지게 피어나
온밤을 반짝거리는 심야 시간
화분을 들고 어디론가 걸어가는 사람
안고 있는 달이 환하게 지쳐 있다
어두운 터널을 용케도 빠져나온 바람이
여기저기 기웃거리며 돌아다닌다
울음으로 허기를 달래는 닭장 속의
고독함이 정신없이 파닥거리고 있다
밤 철길을 걷다가 기적 소리도 없이
순식간에 사라진 이들의 흔적은
그 어디에서도 찾아볼 수가 없다
기다림은 흐르는 강물을 건너다가
애처롭게 떠밀려 가는 시절인가
한쪽이 텅 빈 마음을 가져온 사람
그는 자꾸만 별똥별을 흘리고 있다
어둠을 비우고 밝음을 가득 충전한다

나로도 갯메꽃

우주로 솟아오르는
인공위성의 웅장한 소리 같은
파도 소리를 들려주고 있다

여인처럼 여리디여린 몸으로
레코드판을 돌리는 저 축음기여

구름

저 새들을 향한 화살

새들이 날아가자

일제히 그쪽으로 향한다

마음속에 새겨 박제한 사랑

편지 속 글씨처럼
마음속에 새겨 박제한 사랑
소망의 하늘에
무성하게 자란 구름은 흔들리듯 떠간다
사랑한다고, 한마디 건네지 못한
미안함과 애틋함이
나풀거리는 나비가 되어 박제한다
아지랑이처럼 아른거리던
첫 마음 온데간데없고
꽃다발만 향기로운 봄날에 헤매고 다닌다
문득 풍경 달린 처마 끝
바람 앞에서 내내 울고 있다
빈틈마다 피어난 민들레를 바라보면
나 또한 설렌 바람에
투명한 날개를 달 것 같다
새벽하늘 무수한 기다림이 반짝거리고
그 강가에 풀피리 소리인 듯
강물을 반으로 가르는 닭 울음소리
두리번거리고 있다

나비 엽서를 쓴다

외로움을 잊고 싶어서
나비 엽서를 쓴다
가야 할 방향을 잃고 헤매는 바람
저쪽이 여름으로 가는 길이다
철썩거리는 바다를 겨우 달래고 온다
그리움도 모르고
까마득한 푸른 하늘을 올려다보다
현기증을 느끼는 사람이 있다
꽃이 활짝 켜져 있는
순천만 국가정원 하늘에는
새들이 날갯짓으로 하늘을 다독거린다
향기에 우뚝 멈춰 선 길가의 꽃밭
또다시 나비 엽서를 쓴다
깨진 낮달을 두드리고 싶어지는데
생각난 듯 철쭉이 피고 있다
날마다 기억해도 며칠은 기억할 것 같은 이름
별똥별이 떨어지듯 깨가 쏟아진다
다 쓴 나비 엽서가 너에게로 날아간다
비틀비틀 잔뜩 취한 몸짓으로

입 없는 나무가 잎으로 팔랑거린다

입 없는 나무가 잎으로 팔랑거린다
쓸개를 씹은 듯한 쓸쓸함이
파도처럼 철썩거리고 천년의 사랑처럼
아침을 자꾸만 지저귀는 참새
밤마다 하늘은 별들로 진수성찬인데
누구라도 맛있게 먹을 수 없을까
혼자 참회할 것이 많기도 한 이별의 나날
호남의 젖줄 섬진강은 흐르고 있다
아직 그리워할 수 있는 마음이 있기에
호수처럼 그대 눈빛 빛난다 오오,
오랜 시간 기억 속 너를 만나고 돌아오는
그 길가에는 풀꽃이 싱그럽게 웃는다
얼룩말 한 마리를 품고 있는 바코드
우린 모두 사소한 줄무늬가 있다
결국 한 권으로 읽다 마는 첫사랑은
어디론가 새처럼 자유롭게 날아간다
재생할 수 없는 눈물이 뚝뚝 떨어진다
벌레가 나뭇잎을 갉아 먹으면
오히려 내 마음이 아릴 때가 다 있다

나로도 정다운 식당

전라남도 고흥군 봉래면 개안길,
파도로 노래하는
바다가 코앞인 나로도 정다운 식당

참 맛있는 반찬으로
정갈하게 차려진 돌게장 백반에
금세 깔끔하게 비워지고 있다

바다처럼 짭조름한 맛이 있는
갈치조림 한 상
바라다보이는 바다에 펼쳐 놓은 듯
마음마저 철썩거린다

소문난 문어불고기는
봄바람에 실려 온 꽃향기처럼
오래 기억하고 싶은 맛

축시

지금 여기는
두 그루의 나무가 연리목처럼
하나가 되는 자리입니다
이 두 사람을 기쁜 마음으로 축하해 줍시다
흐르는 눈물을 닦은 손수건은
축축하게 젖지만
마음으로 흘린 즐거움의 눈물은
절대로 젖지 않습니다
이 자리를 꽃밭처럼 아름답게 물들이고
나비가 날갯짓하듯 손뼉을 칩시다
아무리 밉더라도
미운 사람에게 떡 하나 더 준다고,
우리 모두 손뼉이라도 정성을 다해 쳐줍시다
이 둘의 사랑으로 마음이 더욱 선해지고
행운이 깃들기를 바라는 마음으로
네잎클로버의 하트를 뿅뿅 날려줍시다
온갖 비바람이 몰아쳐도 이겨낼 수 있도록
활짝 펼쳐진 우산이 되어
다 같은 마음으로

종이학을 접어 그리움을 날려요

종이학을 접어 그리움을 날려요
훨훨 날아가면 하늘가에 다다를까요
노을빛이 그리움을 감싸 안겠지요
비가 내려 소멸하는 구름 같은 인생길
불어오는 바람결에 너에게 묻는 순간
고요를 깨뜨리는 가로등 빛에 눈이 부셔
길 아닌 곳을 가려고 하다 넘어질까
노심초사하는 눈물에 젖은 꽃잎이
주저리주저리 향기를 부르짖고 있어요
밤마다 달의 빛을 싹싹 비우는 바람
항상 푸른 물결을 싹 틔우는 나로도항
아직 누구와 단 한 번도 동행하지 않아
그리움을 모르는 사람이 길을 걸어가요
지독하게도 허전함이 따라오는 날에
아지랑이처럼 커피 향이 아른거리는 카페
창가에 앉아 문득 구름을 띄운 카페라테
그 한 잔의 추억에 풍덩 빠져보아요

한 꽃잎의 향기가 온 꽃밭을 향기롭게

발 행 | 2024년 4월 22일
저 자 | 정민기
펴낸이 | 한건희
펴낸곳 | 주식회사 부크크
출판사등록 | 2014.07.15.(제2014-16호)
주 소 | 서울 금천구 가산디지털1로 119, SK트윈타워 A동 305호
전 화 | 1670 - 8316
이메일 | info@bookk.co.kr

ISBN | 979-11-410-8220-8

www.bookk.co.kr
ⓒ 정민기 2024